Floral Masterpieces BELGIUM
Florale Meesterwerken
Chefs-d'œuvre floraux

Photography Bart Van Leuven

STICHTING KUNSTBOEK

Flower arrangement is an agreeable pastime in which flowers and leaves cut in the garden or nursery are combined with natural vegetation, imbuing them with a new purpose and order. They are arranged in compositions that differ from their natural way of growth. Flowers from one plant, leaves from another and perhaps fruit from another still are brought together to create a new form of growth or bloom. A new plant is created, as it were, unknown to nature and destined for a brief existence (we cannot persuade the new creation to take root and perpetuate the composition). Consequently, flower arrangement is essentially a decorative activity of limited duration. That is not to say, however, that the vegetal influence has not always been very powerful.

Classical florist's training focuses on the origin of the plants, their biotopes and seasons of growth, blossoming and fruiting. This is generally referred to as 'natural arrangement', though 'naturally inspired' would be nearer the mark. From time to time, we succeed in producing arrangements that do seem genuinely natural. Bonsai landscapes are a good example. Unfortunately, it takes the best part of a hundred years to achieve an attractive result. Neither the commercial florist nor the hobbyist has that kind of time when it comes to completing a composition. Most arrangements that pass for natural are essentially decorative. They are, however, structured in such a way that we are given a sense of nature when looking at them. We feel that the arrangement might really have grown in this way. The aestheticism of such arrangements testifies to the skill of the florist. 'Natural' flower arranging has become increasingly rare, due not least to the steady decline in florist's underlying knowledge of plants, seasons and biotopes. The fact that many flowers and plants are now available all year round has a great deal to do with this. Fewer and fewer trainee florists have the time, motivation or interest to master such knowledge. What's more, many young arrangers want to work at the cutting edge, to innovate, before they have had chance to develop their know-how. The decorative approach offers a much easier route towards the novel or different.

The dichotomy between 'natural' and 'decorative' is an eternal one, and has arisen time and again throughout the history of the florist's profession. Many flower arrangers do not have a strong sense of this dichotomy and thus tend to mix everything up hopelessly. The plant materials we use remain essentially vegetal, even when pulled from their natural environment. Florists who are sensitive to this vegetal character never lose sight of the living nature of their materials. They understand the natural essence of each plant they use, allowing the material to live, even when producing purely decorative compositions.

Decorative florists, by contrast, play around with colours, shapes and volumes, creating works that, while often impressive, are prone to lose their vegetal soul. The deadliest killer in this respect is the deliberate pursuit of originality, whereby the overriding motivation is to create something new, chiefly by renouncing all tradition. Such an approach not only jeopardises the plant's soul, it also increases its perishability. In extreme cases, we might question the very purpose of such compositions. The designers will claim that the duration of the composition is not important, that it will 'dry in', the resultant distortion forming an essential part of the creation. No trace of vegetal soul is left by this kind of mummification. A similar process can, however, be pursued by the more naturally sensitive florist, in which case the plant's essence is recalled – its soul remaining abroad like a kind of benevolent ghost.

NON-VEGETAL AIDS

Although the supreme examples of the arranger's art rely on pure vegetation, this is often difficult in practice. We thus find non-vegetal material popping up in a great many arrangements.

First on the list of the arranger's aids is the container, which has been present since the earliest origins of flower-arrangement. It enables the arranged items to keep for longer and thus has a purely functional purpose. Examples are tulip and hyacinth glasses, flower-boxes, and so on. The arranger's aesthetic sensibility quickly introduced an element of selectiveness, inducing potters, basket-weavers and glass-blowers to produce containers with an enhancing and decorative impact. This interaction between creative people soon led to the marriage of vegetal and non-vegetal materials to form a single whole. In compositional terms, it is far from easy to combine plants and containers in this way, and many arrangers struggle to find an appropriate balance.

The current trend is for the vegetal elements to grow and to burst out of their containers. The latter have become a kind of stage set, in which flowers and foliage deliver their performance. The receptacle is no longer there merely to contain the stalks – new materials are needed to hold the vegetation in position and to create space. All kinds of binding material and feed-pipe have arrived on the scene, becoming a visible part of the composition.

This might have something to do with the adoption by florists of all manner of manipulations from other branches of art and craft, opening up unparalleled new possibilities for working in, around and alongside the container in an original manner. Looking more closely at creations of this kind, we can't help but wonder why containers are still used at all. Having ceased to be functional they are no longer strictly necessary. Perhaps it is simply a question of habit – the starting point for any arrangement is the container. There are positive trends, too, however. More and more florists with a natural soul are decking out the total space of public buildings, churches, halls and homes with floating creations that grow and blossom.

OTHER AIDS

Several decorative materials are so widely used that they have become an essential part of the trade. Candles, for instance, in every possible shape, colour and quality, have long been used to enhance the atmosphere of flower arrangements. They also pop up occasionally in a non-functional role. For many people, however, including young florists, the obligatory candle-flame is synonymous with atmosphere and intimacy. When it comes to these traditional little lights, there is no question of rebellion or substitution.

Thematic elements are also very well-established. Traditional Easter and Christmas decorations are different yet somehow always the same. A worthy challenge would be to evoke such an atmosphere without resorting to the traditional accoutrements, purely by means of appropriate vegetation.

Models, often very transient in character, are also used in flower arrangement. Examples include pottery animals, plastic fruit, imitation jewellery and hypermodern figures in mock concrete. These come and go, but are not really necessary for flower arrangement. Non-vegetal but still natural aids, like rough or worked stone, come from all ages and in all styles, and their uses change constantly.

Artificial materials, mostly worked into rudimentary forms, are even more interesting. They include all kinds of metal, glass and wood. Although the latter is not artificial in origin, it is manipulated in such a way as to create a new medium, with a similar range of applications to sheet metal or glass. Synthetic materials like plastic and plexiglass also belong in this category. All these materials are used by florists for a wide variety of purposes, including the creation of containers, settings or presentation elements. In many cases, they are incorporated and distorted in a way that allows them to merge with the vegetal elements to form a single composition. These and even newer materials will certainly continue to pop up as additional elements in floral compositions.

'Recycling' has been a genuinely new phenomenon in recent years. Existing objects are taken as a basis and are then covered with vegetal material. Worn-out appliances and utensils are given a new, often purely decorative life. Chairs, sofas, beds, shop-window dummies – almost anything – are decorated with foliage, flowers or other, usually dried, vegetation. The florist-decorator produces floral works of art that are guaranteed to last. Other florists, whose heart remains in the natural world of plants, create arrangements that consist entirely of vegetal material – assemblages that look like chairs or sofas, imitations of human or animal figures or even everyday implements, sometimes larger than life-size.

DECORATIVE MATERIALS

We ought to say a word, finally, about the materials that featured prominently in classical flower arrangement – ribbons, lace, fabrics and ornamental cords. From the beginning of the nineteenth century until the 1960s, no flower arrangement was complete without a sumptuous ribbon and bow. These elements were subsequently banished until two or three years ago, since when they have experienced something of a revival, especially at traditional festivities and in bridal arrangements. They also feature in packaging, which has changed considerably over the years, going from purely functional to extremely decorative. The packaging began to demand so much attention that it threatened to become more important than the actual flowers. That phenomenon, too, is now fading and customers are again asking for unpackaged bouquets, which they see as a warmer and less formal gift for friends.

COMPOSITIONS AND THEIR SURROUNDINGS

The sensitive florist goes even further. The environment or space in which the composition is installed is steadily growing in importance. Locations such as classical buildings, contemporary constructions, neglected gardens, ruins, nature reserves, the sea and the horizon have all been used as floral settings. A photographic record is now de rigueur. Land Art has made its entry in flower-arranging. The vegetally inspired florist feels most at home in natural environments. Even the elements are incorporated – wind, rain, sun, clouds, mist and snow can all be woven in as (chance) factors in the composition. Before long, photography alone will no longer be sufficient. Video or film will be needed to do full justice to the movement, happenings, activities and environments.

Even the simplest things – a leaf, a branch – can become utterly fascinating when placed in a strange context. The natural soul of plants can be so grandiose that we are forced to pause and reflect on it.

This latest book of floral photography published by Stichting Kunstboek contains a broad spectrum of compositions reflecting the developments I have described and the vibrant activity of contemporary flower arrangement. You will find a wide range of floral visions that we hope will encourage you to experiment creatively with plants and flowers. We wish you both pleasure and inspiration.

Marc Derudder

Bloemschikken is een aangenaam 'bezig zijn' waarbij plantendelen geknipt in tuin of kwekerij samen met vegetaties geplukt in de natuur een andere bestemming en orde krijgen. Ze worden geschikt in composities verschillend van de natuurlijke groei- of levenswijze.

Bloemen van de ene plant, bladeren van een andere, vruchten misschien weer van een andere vegetatie..., samen vormen ze een nieuwe groei- en/of bloeivorm. Er ontstaat als het ware een nieuwe plant, vreemd aan de natuur en van korte levensduur, want tot hiertoe slaagden we er nog niet in alles aan elkaar te laten groeien, wortel te laten schieten en op die manier de compositie verder te laten leven. Wezenlijk is bloemschikken dus een decoratieve aangelegenheid met beperkte levensduur. Toch is de vegetatieve invloed altijd zeer groot geweest.

In de klassieke floristieke scholing wordt er bij het bloemschikken rekening gehouden met de afkomst van de planten, met de biotopen en met de bloei-, groei- en vruchtseizoenen. Meestal spreekt men dan van 'vegetatieve schikkingen'. 'Vegetatief geïnspireerde schikkingen' zou correcter zijn.

Uitzonderlijk slagen we er wel eens in een echte vegetatieve schikking te realiseren. Denken we maar aan de bonsailandschappen. We hadden echter wel een kleine honderd jaar nodig om tot een opmerkelijk resultaat te komen. Noch de commerciële florist, noch de hobbyist kan zich zoveel tijd veroorloven om een compositie af te werken. De meeste schikkingen die voor vegetatief doorgaan zijn in wezen decoratief. Ze zijn echter zo uitgebouwd dat we een natuurlijk aanvoelen krijgen bij het aanschouwen. We hebben de indruk dat de schikking echt zo gegroeid zou kunnen zijn. Dit is niets minder dan een vorm van schoonheid, deze indruk getuigt trouwens ook van de vakbekwaamheid van de schikker.

Deze vorm van bloemschikken wordt steeds minder toegepast. Vooral omdat de kennis van en achtergrondinformatie over planten, seizoenen en biotopen steeds afneemt. De aanvoer van veel bloemen en planten het hele jaar door is daar niet vreemd aan. Steeds minder leerling-floristen maken tijd vrij en leggen de moed en de belangstelling aan de dag om zich deze vakkennis eigen te maken. Daarnaast willen vele jonge bloembinders al 'in' zijn, vernieuwend zijn, nog voor ze beroepskennis hebben opgedaan. Bij dit zoeken naar nieuwe of andere wegen is de decoratieve toer opgaan nu eenmaal de gemakkelijkste weg.

De tegenstelling 'vegetatief' en 'decoratief' is een eeuwige dualiteit die we in de loop van de floristieke evolutie steeds weer zien opduiken. Vele bloemenschikkers voelen deze dualiteit niet goed aan en gaan alles hopeloos verwarren.

De plantendelen die we verwerken, dragen gezien hun afkomst het wezenlijk vegetatieve in zich mee, ook nadat ze uit het groeimilieu werden weggerukt. De vegetatief gevoelige florist houdt voortdurend rekening met het levende karakter van zijn materialen. Hij begrijpt het vegetatieve zijn van elk stukje plant dat hij gebruikt. Ook als hij puur decoratieve composities maakt, laat hij zijn plantaardig materiaal leven.

De florist-decorateur daarentegen, stoeit met kleuren, vormen en volumes. Hiermee bouwt hij werkstukken op die indrukwekkend kunnen zijn, maar die soms hun plantaardige ziel verloren hebben. Deze wordt veelal gedood door bewust nagestreefde originaliteit. Men wil per se iets nieuws brengen, vooral door elke traditie af te zweren. Niet enkel de plantenziel, maar ook de houdbaarheid van de vegetaties komt dikwijls in het gedrang. De zin van een dergelijke compositie kan in extreme gevallen zelfs in vraag gesteld worden.

De ontwerper zal dan beweren dat houdbaarheid niet belangrijk is en zal 'indrogen' en het aldus vervormen van zijn compositie als essentieel onderdeel van de creatie beschouwen. Bij dit mummificeren is er al helemaal geen sprake meer van een plantenziel. Toch slagen floristieke belevers erin om bij de toepassing van een dergelijk mummificatieproces het vegetatief gevoel blijvend zichtbaar te houden, in composities waarin de plantenziel blijft ronddwalen als een goede geest.

NIET-PLANTAARDIGE HULPMATERIALEN

Floristiek bezig zijn met uitsluitend plantaardig materiaal is vaak heel moeilijk, maar blijft het absolute hoogtepunt binnen het bloemschikken. Meestal zien we dan ook niet-plantaardige hulpmaterialen opduiken bij het schikken van bloemen en planten.

Wanneer we de voornaamste hulpmaterialen op een rijtje zetten, dan komen de recipiënten uiteraard het eerst aan bod. Deze waren er reeds van bij het ontstaan van het bloemschikken. Zij geven de mogelijkheid om de plantendelen langer te bewaren en hebben derhalve een louter functioneel doel. Denken we maar aan de tulipières, de hyacintglazen, de plantenbakken enz. Vrij vlug heeft het esthetisch gevoel van de bloemschikker hem ertoe aangezet om selectief te werk te gaan, om invloed op de pottenbakker, manden-vlechter of glasblazer uit te oefenen om tot resultaten te komen die aanvullend en decoratief waren. Samenspraak tussen gelijkgestemden zou al snel leiden tot creaties van plantaardige en niet-plantaardige materialen die gingen vergroeien tot één geheel.
Een dergelijk huwelijk tussen vegetatie en recipiënt is compositorisch niet eenvoudig. Ook vandaag nog heeft menig florist daar moeite mee.

In de huidige floristieke trends groeien en barsten de plantaardige elementen uit de recipiënten. Ze worden 'decor' waarrond de plantaardige elementen hun stuk opvoeren. De recipiënten dienen niet meer om stengels in te plaatsen; nieuwe hulpmiddelen zijn nodig om de vegetaties op hun plaats te houden en ruimte te geven. Allerlei bindmaterialen en watervoorraadbuisjes verschijnen ten tonele en worden zichtbaar onderdeel van de compositie.

Misschien is de opkomst van de 'vormprincipes' daarvan de oorzaak. Alle mogelijke manipulaties die in andere beroepen worden toegepast, bieden binnen de floristiek ongekende mogelijkheden om in, rond en naast het recipiënt origineel te werk te gaan. Wanneer we zulke creaties nader bekijken, vragen we ons af waarom er nog recipiënten aan te pas komen. Ze zijn in ieder geval niet meer functioneel en dus ook niet meer strikt nodig. Misschien speelt hier enkel nog de macht der gewoonte: bij een floristieke compositie vertrek je nu eenmaal van een recipiënt.
Er valt echter ook veel positiefs waar te nemen: we zien steeds meer floristen met een vegetatieve ziel de totale ruimte van openbare gebouwen, kerken, zalen, huiskamers e.d.m. tooien met zwevende creaties die groeien en bloeien.

ANDERE HULPMATERIALEN

Een aantal decoratiematerialen zijn zo algemeen in gebruik dat we ze als verwant met het vak kunnen beschouwen. Denken we aan kaarsen in alle mogelijke verschijningsvormen, kleuren en kwaliteiten. Al heel lang zijn het sfeerscheppende elementen bij het bloemschikken. Sporadisch werden ze ook wel eens niet functioneel gebruikt. Nog steeds staat het onvervangbare brandende vlammetje bij veel mensen voor sfeer en gezelligheid, óók bij jonge floristen. Geen spoor van rebellie of vervanging van de traditionele lichtpuntjes.

Thematische hulpmiddelen zijn al even ingeburgerd en nog lang niet weg te denken. Traditionele paas- en kerstdecoraties zijn steeds weer anders en toch dezelfde. Misschien bestaat de uitdaging erin een themasfeer te scheppen zonder de traditionele hulpmiddelen, maar louter op basis van themagevoelige vegetaties.

Weer andere hulpmiddelen, maar dan meestal van zeer tijdelijke aard, zijn de namaakvormen. Denken we aan de dierenfiguratie in de ceramiek, de kunststofvruchten, de nepjuwelen en hyperactueel: de figuren in betonimitatie. Ze komen en ze gaan, maar we hebben ze niet echt nodig om aan bloemschikken te doen. Niet-plantaardige hulpmaterialen van natuurlijke aard zijn dan weer van alle tijden en stijlen en kennen steeds weer andere toepassingen. Noemen we hierbij de natuurlijke gesteenten, al of niet bewerkt.

Nog boeiender zijn de natuurlijke grondstoffen, meestal verwerkt tot rudimentaire vormen: allerlei metalen, glas en hout. Dit laatste is uiteraard wel van natuurlijke afkomst, maar werd op dusdanige manier gemanipuleerd dat het een nieuwe verschijningsvorm krijgt met dezelfde toepassingsmogelijkheden als metaalplaten of glasplaten. Ook artificiële stoffen zoals allerlei plasticsoorten, plexiglas en aanverwanten horen hier thuis. Al deze materialen worden door floristen gebruikt voor de meest uiteenlopende doeleinden: het maken van recipiënten, decors of presentatie-elementen. Maar vaak worden ze ook op zodanige wijze verwerkt en vervormd dat ze kunnen vergroeien met plantaardige elementen tot één compositorisch geheel. We kunnen gerust stellen dat deze materialen naast nieuwsoortige, zullen blijven opduiken om bloemencomposities aan te vullen.

Een echt nieuw fenomeen van de laatste jaren is de zogenaamde recyclage. Men vertrekt van bestaande voorwerpen om ze met plantaardig materiaal te bekleden. Afgedankte functionele voorwerpen krijgen een tweede leven als al dan niet zuivere decoratie. Stoelen, sofa's, zetels, bedden, etalagepoppen, noem maar op, worden bekleed met bladeren, bloemen of andere – meestal ingedroogde – vegetaties. Het worden floristieke kunstwerken met houdbaarheidsgarantie van de florist-decorateur. Als tegenspel bouwen andere floristen met hart voor de vegetatie, plantaardige constructies die uitsluitend uit vegetaal materiaal bestaan: assemblages die het uitzicht krijgen alsof het stoelen of sofa's zijn, een nabootsing van menselijke of dierlijke wezens, of nog: alledaagse gebruiksvoorwerpen soms bovenmaats uitgevoerd.

DECORATIEMATERIALEN

Tot slot nog even een woordje over de materialen die in het klassieke bloemschikken van belang waren: de linten, tules, stoffen en fantasiekoorden. Van in het begin van de 19de eeuw tot een dertigtal jaren geleden was een bloemencompositie of een plant niet afgewerkt als er niet weelderig met strik en lint was omgesprongen. Nadien werden ze verbannen. De laatste twee à drie jaar merken we een heropleving, vooral bij de traditionele feestdagen, het bruidswerk en de verpakking.
Ook de verpakking heeft veel wijzigingen ondergaan, van puur functioneel is ze geëvolueerd naar extreem decoratief. Op een gegeven ogenblik vroeg de verpakking zoveel aandacht dat ze belangrijker dreigde te worden dan de eigenlijke bloemen. Ook dat fenomeen verdwijnt: er zijn alweer klanten die een onverpakt boeket wensen omdat het informeler en sympathieker schenken is aan vrienden.

COMPOSITIES EN HUN OMGEVING

De belevende florist gaat nog verder. De omgeving of ruimte waarin de compositie wordt geïnstalleerd zal steeds meer meespelen en maakt deel uit van de creatie. Lokaties als klassieke gebouwen, hedendaagse constructies, verwaarloosde tuinen, formele parken, ruïnes, natuurgebieden, de zee en de horizon, het worden floristieke decors. Het fotografisch vastleggen van de creatie wordt bijna vanzelfsprekend. De *land art* doet zijn intrede in de floristiek. De vegetatief bezielde florist voelt zich vooral thuis in natuurlijke omgevingen. Zelfs de natuurelementen worden ingeschakeld. Wind, regen, zon, wolken, rijm of sneeuw, alles kan meespelen en een (toevals)factor in de compositie zijn. Straks volstaat de fotografie niet meer om een en ander vast te leggen; met video of film kunnen de bewegingen, de *happenings*, de *activities* en de *environments* nog veel levensechter bewaard worden.

Ook de meest eenvoudige dingen als een blad, een tak kunnen uitermate boeiend zijn wanneer men ze in een vreemde omgeving plaatst. De zogenaamde vegetatieve ziel van plantaardige dingen kan zo groots zijn, dat we er ingetogen, zelfs een beetje stil bij worden.

Het nieuwe floristieke fotoboek van uitgeverij Stichting Kunstboek waar u nu in bladert, bevat een waaier van florale composities die alle voeling hebben met de beschreven evolutie en de bruisende activiteit die er momenteel leeft in de wereld van de bloemsierkunst. Een diversiteit aan floristieke belevingen die de lezer er hopelijk toe aanzet om zelf met plantaardig materiaal te creëren en te experimenteren. We wensen je veel inspirerend kijkgenot.

MARC DERUDDER

Faire des arrangements floraux est une 'occupation' agréable qui donne une autre dimension et un ordre différent aux plantes coupées provenant du jardin, combinées avec la verdure cueillie dans la nature. Elles sont disposées en compositions distinctes de leur croissance ou mode de vie naturels. Des fleurs de l'une, des feuilles de l'autre, peut-être des fruits d'une troisième..., ensemble elles s'épanouissent en une nouvelle forme de vie et/ou de floraison. On peut s'imaginer la naissance d'une nouvelle plante, inconnue dans la nature et à la vie brève, parce que la faire prendre racine et ainsi prolonger la vie de la composition n'est qu'illusion. L'arrangement floral est donc en fait une affaire essentiellement décorative à durabilité limitée. L'apport végétal a néanmoins toujours été fort important.

Dans la formation traditionnelle pour fleuristes, l'arrangement floral tient compte de la provenance des plantes, des biotopes, des saisons de croissance, de floraison et de fructification. Ces arrangements sont en général appelés 'arrangements végétaux'. Il serait plus exact de les définir comme 'arrangements d'inspiration végétale'. Exceptionnellement nous réussissons un véritable arrangement végétal comme les paysages bonsaï par exemple. Mais pour atteindre un résultat valable il nous a fallu une centaine d'années. Ni le fleuriste commercial ni l'amateur ne peut consacrer beaucoup de temps à la réalisation d'une composition. La plupart des arrangements qui font figure de végétaux sont en fait décoratifs. Ils sont toutefois disposés de telle façon qu'ils nous donnent une impression de naturel. Il nous semble que la composition aurait pu pousser de cette façon. Ceci est un aspect de la beauté et témoigne également de la compétence professionnelle du créateur. Ce genre d'arrangement floral est de moins en moins pratiqué, surtout parce que la connaissance des plantes et l'information de base qui les concerne, les saisons et les biotopes ne fait que diminuer. Le fait que beaucoup de fleurs et plantes soient disponibles tout au long de l'année ne fait qu'aggraver cette situation. De moins en moins d'élèves fleuristes prennent le temps, ou manquent de courage et d'intérêt pour s'initier à cette discipline professionnelle. En outre, de nombreux jeunes créateurs de bouquets se veulent 'dans le vent' et rénovateurs, avant d'avoir acquis la connaissance professionnelle nécessaire. Choisir pour la création décorative est évidemment l'alternative la plus facile quand on cherche à innover ou à rénover.

Le contraste 'végétal' et 'décoratif' est une éternelle dualité que nous rencontrons constamment dans le cours de l'évolution florale. De nombreux créateurs ne sont pas sensibles à cette dualité et font des mélanges malheureux.
Les parties des plantes qu'ils utilisent, sont fortement marquées par leur provenance végétale, même après avoir été arrachées à leur milieu naturel. Le fleuriste qui est sensible à ce caractère végétal tient constamment compte du caractère vivant de ses matériaux. Il comprend le sens végétal de la moindre partie de plante qu'il utilise. Il fait vivre ses éléments végétaux, même quand il crée des compositions purement décoratives.

Le fleuriste-décorateur par contre, joue avec les couleurs, les formes et les volumes. Il en fait des pièces qui peuvent être impressionnantes mais qui ont parfois perdu leur caractère végétal. Celui-ci est très souvent étouffé en essayant d'atteindre une originalité consciemment recherchée. La nouveauté s'impose coûte que coûte, et particulièrement en faisant fi de toute tradition. Non seulement le caractère de la plante, mais également la durée de conservation des végétaux sont souvent compromis. Dans des cas extrêmes l'on peut douter du sens d'une telle composition. Le créateur affirmera que la durée de conservation n'est pas importante et que le séchage aboutissant à une déformation de sa composition doit être considéré comme une partie intégrante de celle-ci. La momification quant à elle ne laisse plus aucune place à l'âme de la plante. Les fleuristes-passionnés réussissent toutefois à garder cet aspect végétal tout en appliquant le processus de momification dans des compositions où l'âme de la plante rôde encore comme un esprit bienveillant.

ACCESSOIRES NON VEGETAUX

Du point de vue floral, réaliser des créations avec du matériel exclusivement végétal est souvent fort difficile, mais ces créations demeurent l'apogée absolue pour l'arrangement floral. De ce fait, des accessoires non végétaux sont introduits pour les compositions englobant fleurs et végétaux.

Quand nous passons la revue des accessoires, les récipients occupent évidemment une place de choix. Depuis toujours, ils font partie des arrangements floraux. Grâce à eux, certaines parties de plantes peuvent se garder plus longtemps et ils ont donc un but purement fonctionnel. Citons les tulipiers, les verres à jacinthe, les jardinières etc. Très vite, le sens esthétique du créateur de bouquets a procédé sélectivement et a exercé son influence sur le potier, le vannier ou le verrier pour arriver à des résultats décoratifs qui mettaient ses créations en valeur.
Un dialogue entre gens de même opinion a rapidement mené à une production de matériaux végétaux et non végétaux pour ne faire qu'un seul ensemble.
Au point de vue de la composition un tel mariage entre l'élément végétal et le récipient n'est pas simple. Aujourd'hui encore, de nombreux fleuristes trouvent l'exercice difficile.

Les tendances florales actuelles voient les éléments végétaux surgir du récipient. Ceux-ci deviennent des 'décors' où les végétaux évoluent comme sur une scène de théâtre. Les récipients ne servent plus à disposer les tiges; de nouveaux accessoires sont nécessaires pour donner de l'espace aux végétaux et les tenir en place. Toutes sortes de matériaux de ligature et de tuyaux de réserve d'eau font leur apparition et deviennent partie intégrante visible de la composition.

L'apparition des 'principes de forme' en est peut-être responsable. Toutes les manipulations imaginables qui sont appliquées dans d'autres métiers, laissent la possibilité dans l'inconnue florale de faire des créations originales dans, autour et à côté du récipient. En examinant de telles créations de plus près, nous nous demandons pourquoi les récipients sont encore utilisés. Ils n'ont plus aucun rôle utilitaire et ne sont donc plus strictement nécessaires. La force de l'habitude serait-elle encore seule en jeu ici: une composition florale ne peut se faire qu'à partir d'un récipient. Mais il y a beaucoup d'éléments positifs perceptibles: nous rencontrons de plus en plus de fleuristes dotés d'une âme végétale qui parent l'espace total d'édifices publics, églises, salles, pièces de séjour avec des créations aériennes qui s'épanouissent en toute beauté.

D'AUTRES ACCESSOIRES

Bon nombre d'accessoires sont tellement intégrés que nous pouvons les considérer comme faisant partie du métier. Citons les bougies qui se déclinent sur toute une gamme de formes, de tons et de variétés. Depuis fort longtemps elle font partie des éléments qui créent l'ambiance dans la création d'arrangements floraux.

Sporadiquement elles sont également utilisées comme non utilitaires. L'indispensable petite flamme représente pour bon nombre de personnes ambiance et intimité, même pour les jeunes fleuristes. Point de rébellion ou de remplacement pour ces petits points de lumière traditionnels.

Les accessoires thématiques sont devenus également tout à fait indispensables. Les décorations traditionnelles de Pâques et de Noël sont toujours identiques et toujours différentes. La gageure serait peut-être de créer une ambiance thématique sans les accessoires traditionnels mais exclusivement au moyen de végétaux évocateurs d'un certain thème.

D'autres accessoires encore, mais d'une durée très limitée, sont les formes factices. Citons les animaux en céramique, les fruits artificiels, les bijoux de fantaisie et les très actuelles figurines en imitation de béton. Tout ceci a son succès pendant un certain temps et puis disparaît, mais n'est pas vraiment indispensable pour réaliser des arrangements floraux.
Des accessoires non végétaux de provenance naturelle sont intemporels et ne se démodent jamais; ils permettent des applications à chaque fois renouvelées. Nous pensons aux pierres naturelles, traitées ou non.

Encore plus passionnantes sont les matières premières, en général présentées sous des formes rudimentaires: toutes sortes de métaux, de verre et de bois. Ce dernier est évidemment de provenance naturelle mais a été travaillé d'une telle façon qu'il apparaît sous une autre forme avec les mêmes possibilités d'application que les plaques de métal ou de verre. Même les matières artificielles comme de nombreuses variétés de plastique, de Plexiglas et similaires sont utilisées ici. Tous ces matériaux sont utilisés par les fleuristes à des fins les plus diverses: l'assemblage de récipients, de décors ou d'éléments de présentation. Mais très souvent ils sont travaillés et transformés de façon à s'intégrer avec les éléments végétaux pour ne faire qu'un ensemble composé. Nous pouvons avancer qu'à côté des nouveautés, ces matériaux resteront d'actualité pour compléter les compositions florales.

Un phénomène véritablement nouveau ces dernières années est le soi-disant recyclage. Des objets existants servent de point de départ et sont habillés de matière végétale. Des objets fonctionnels délaissés sont appelés à une seconde vie, soit comme élément décoratif pur ou non. Des chaises, des divans, des fauteuils, des lits, des mannequins et autres, sont habillés de feuillages, de fleurs ou de végétaux, séchés pour la plupart. Ils se transforment en œuvres d'art avec une garantie de durabilité de la part du fleuriste-décorateur. En contraste, d'autres fleuristes, sensibles à l'élément végétal, créent des constructions à base de plantes qui sont constituées uniquement de matériaux végétaux: des assemblages qui ont l'air d'être des chaises ou des divans, une imitation d'êtres humains ou d'animaux, ou encore, des objets usuels exécutés dans des proportions démesurées.

MATÉRIAUX DE DÉCORATION

Pour terminer, un mot encore, concernant les matériaux qui étaient de mise pour les arrangements floraux traditionnels: les rubans, les tulles, les tissus et les cordons de fantaisie. Depuis le début du 19ème siècle jusqu'il y a une trentaine d'années, une composition florale ou une plante n'étaient pas finies sans une profusion de rubans et de nœuds. Plus tard, cette tendance tomba radicalement en désuétude, tandis qu'elle marque un regain ces trois dernières années, surtout pour les jours fériés traditionnels, les bouquets de mariée et les emballages.

L'emballage a également subi de nombreuses transformations; de purement fonctionnel il est devenu décoratif à l'extrême. A un certain moment l'emballage exigea tant d'attention qu'il menaça de devenir plus important que les fleurs elles-mêmes. Cette tendance-là est aussi en train de disparaître: il y a de nouveau des clients qui demandent un bouquet non emballé parce que c'est une façon plus informelle et sympathique pour en faire cadeau à des amis.

LES COMPOSITIONS ET LEUR ENVIRONNEMENT

Le fleuriste passionné va même plus loin. L'environnement ou l'espace où la composition sera installée joue un rôle de plus en plus important et fait partie de la création. Des endroits comme des immeubles classiques, des constructions contemporaines, des jardins négligés, des parcs à la française, des ruines, des décors naturels, la mer et l'horizon se muent en décors floraux. La définition photographique de la création devient presque évidente. Le *land art* fait son entrée dans l'art floral. Le fleuriste imprégné de l'art végétal se sent surtout chez lui dans des environnements naturels. Même les éléments naturels sont mis à contribution: le vent, la pluie, le soleil, les nuages, le givre ou la neige, tout peut contribuer et devenir un facteur (de hasard) dans la composition. Bientôt la photographie ne suffira plus pour enregistrer le tout; grâce à la vidéo ou au film les mouvements, les événements, les activités et les environnements pourront être conservés sans perdre leur sens du réel.

Même les choses les plus simples comme une feuille, une branche, peuvent être des éléments passionnants, placés dans un environnement étranger. Ce que nous appelons l'âme des choses végétales peut être tellement grande qu'elle nous rend méditatifs.

Le nouveau livre de photographies florales des éditions Stichting Kunstboek que vous feuilletez pour l'instant, contient un éventail de compositions florales qui tiennent compte de l'évolution décrite et des activités débordantes qui animent actuellement le monde de l'arrangement floral. Une diversité d'expériences florales qui, nous l'espérons, incitera le lecteur à faire ses propres créations tout en expérimentant. Nous vous souhaitons beaucoup de plaisir créatif.

MARC DERUDDER

47

49

51

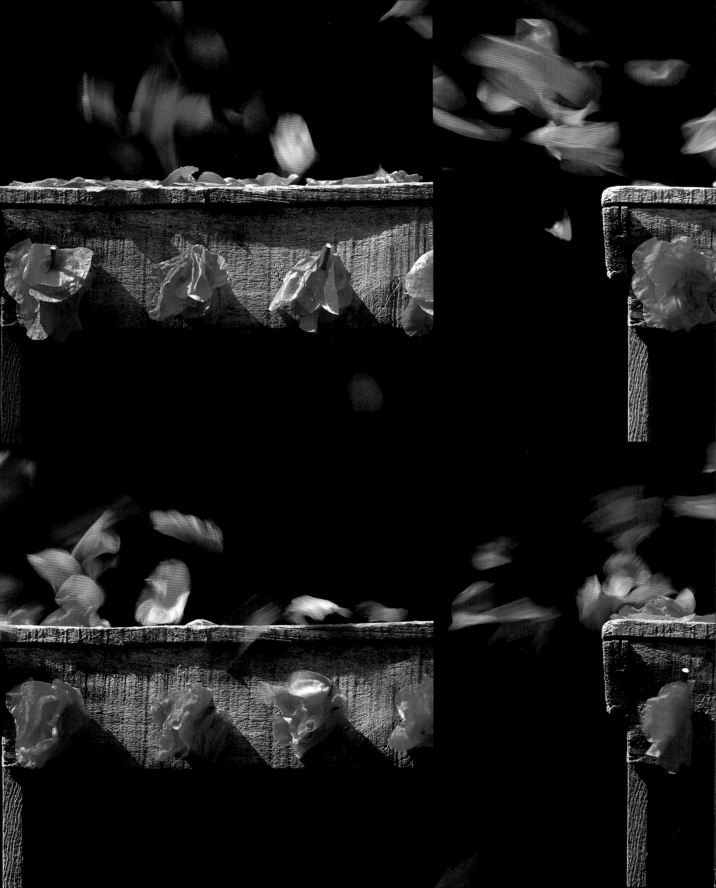

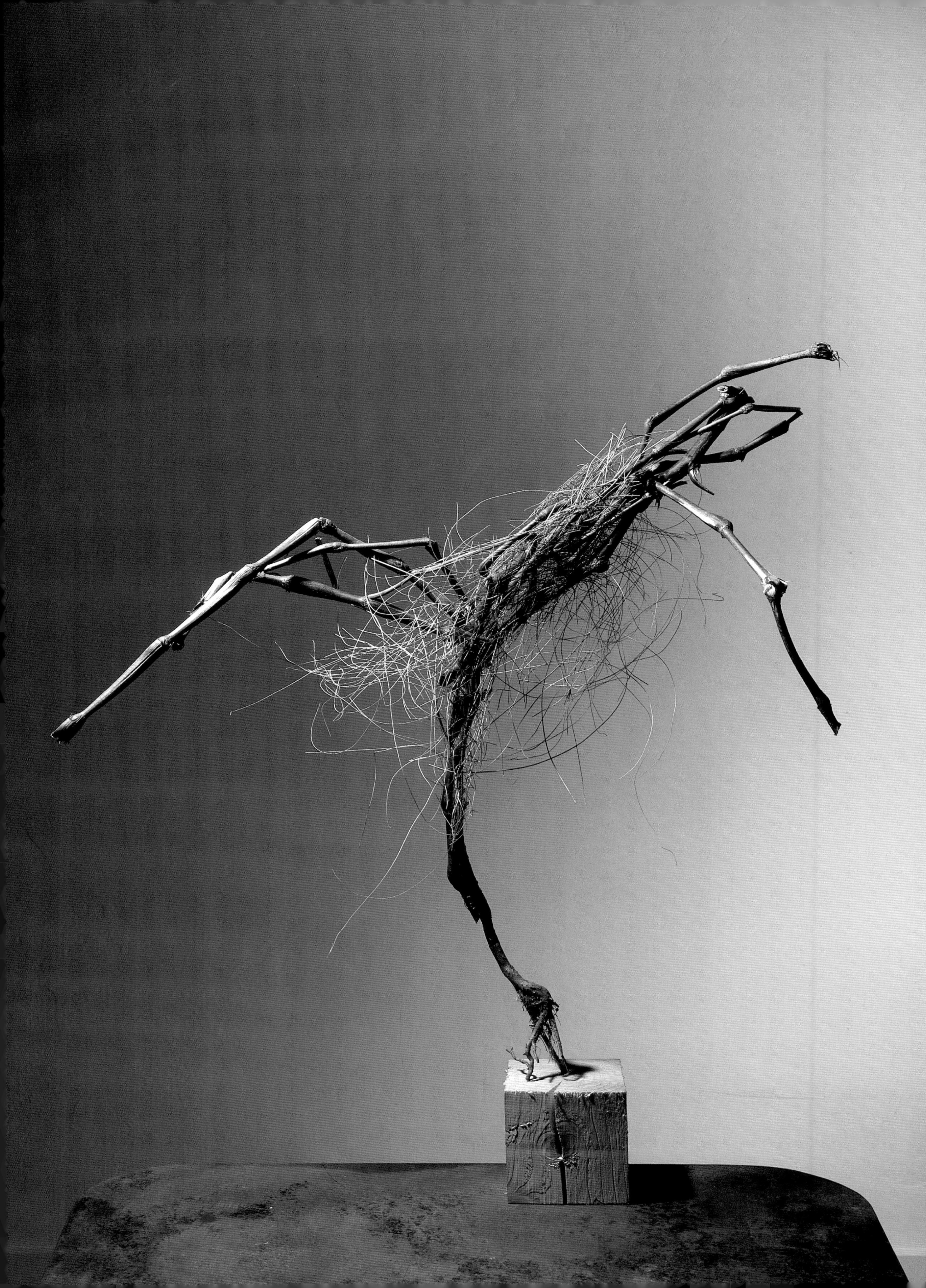

133

155

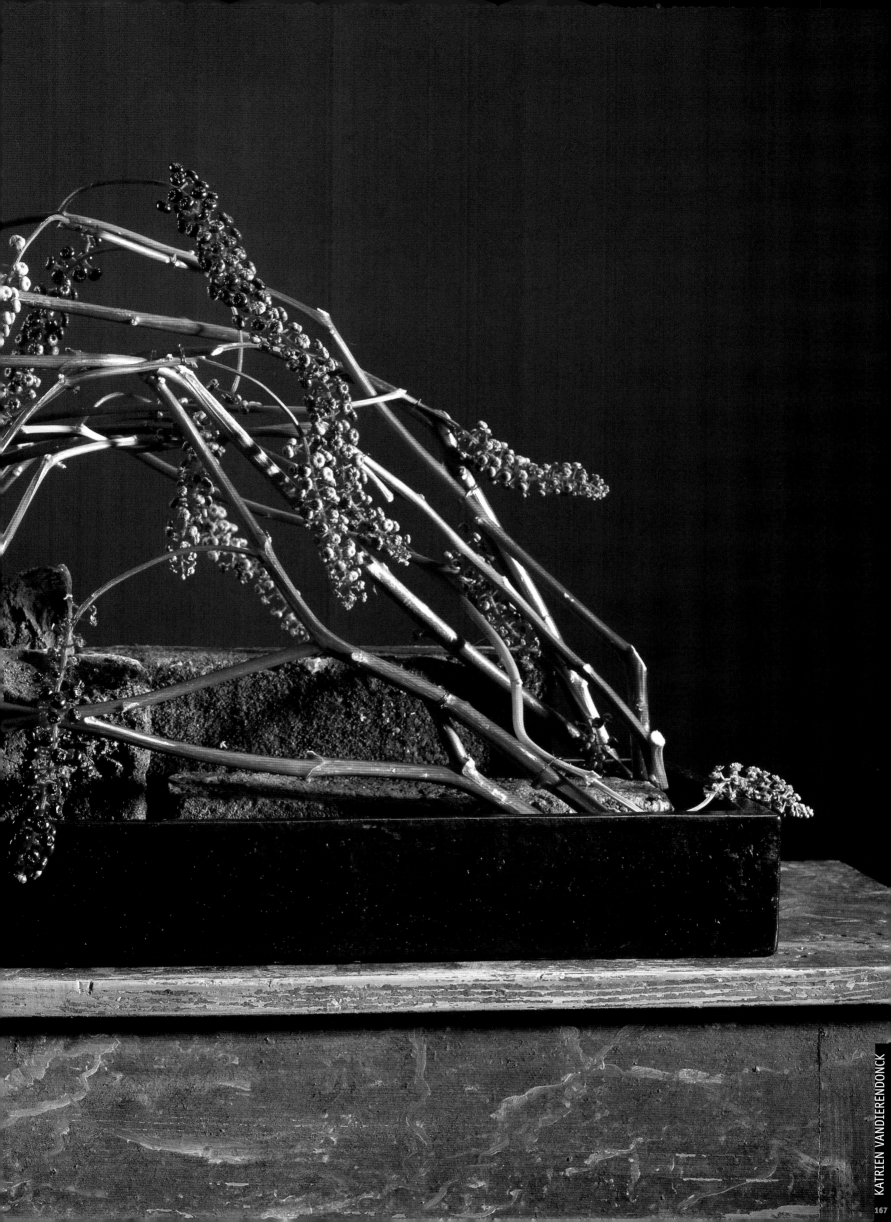

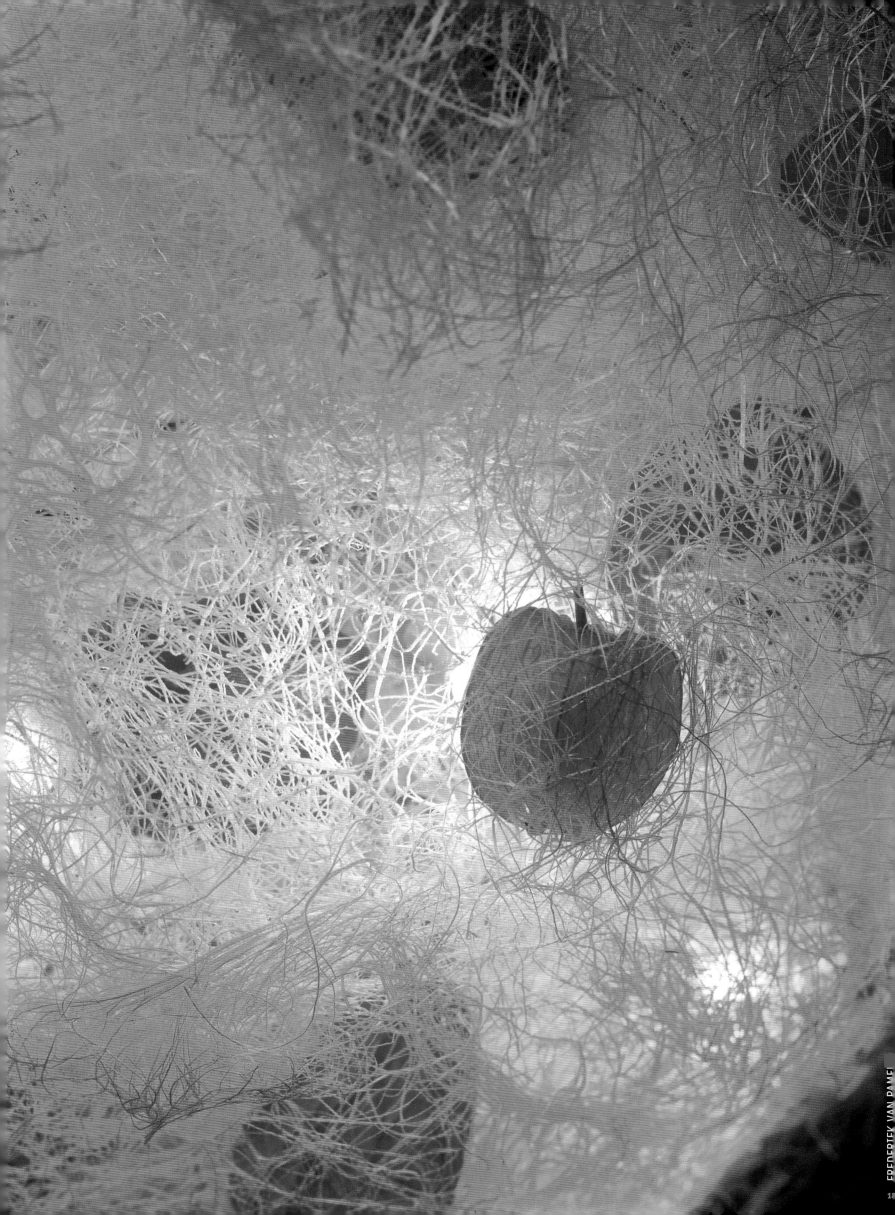

195

REGINALD DAMMAN

Damman Florist
Leopold I-laan 86-88
B-8000 Brugge

Tel.: (050) 31 27 92
Fax: (050) 31 00 75

Training:
1983, Florist, Afsnee
1983, Florist, Melle
1984, Florist's Business Course, Roeselare
1991, Florademie, St.-Truiden
1992, Design florist, Villers-Saint-Frambourg (F)
1992, Champion Design Florist, Paris (F)
1993, Florist-Meister, Grünberg (D)
Twice created the most experimental work in the
Meyhui contest
Demonstrations in Belgium and abroad

Opleiding:
1983, Florist, Afsnee
1983, Florist, Melle
1984, Patroon florist, Roeselare
1991, Florademie, St.-Truiden
1992, Design florist, Villers-Saint-Frambourg (F)
1992, Laureaat Design floristen, Parijs (F)
1993, Florist-Meister, Grünberg (D)
Creëerde tweemaal het meest experimentele
werk in de wedstrijd Meyhui
Demonstraties in binnen- en buitenland

ANDRE DEGRAER

Bloemendaele
Kortrijksestraat 22
B-8020 Oostkamp

Tel.: (050) 82 29 48

Training: organist,
Koninklijk Conservatorium, Ghent
Theme courses with:
J. Roels (B)
A. Van Uffelen (NL)
G. Martin (F)
1990, First Prize KUFB, Brussels
1994, First Prize Meyhui,
Kristal, flower festival
Demonstrations in Belgium and France

Opleiding: organist,
Koninklijk Conservatorium Gent
Gevolgde themacursussen:
J. Roels (B)
A. Van Uffelen (NL)
G. Martin (F)
1990, 1ste Prijs KUFB, Brussel
1994, 1ste Prijs Meyhui, Kristal,
een feest voor bloemen
Demonstraties in België en Frankrijk

CARL DEPUYDT

Carl Depuydt
Hovenierstraat 9
B-8940 Wervik

Tel.: (056) 31 48 00
Fax: (056) 31 48 00

Instructor at Floradamie
Guest course at the Parsons Design School,
New York (USA)
Various features in the magazines Bloem en
Blad, Fleur, Maison et Jardin, Blumen
Einzelhandel.
Demonstrations for professionals and hobbyists
in France, the Netherlands and Belgium

Docent Floradamie
Gastcursus in de Parsons Design School,
New York (USA)
Verschillende publicaties in de tijdschriften
Bloem en Blad, Fleur, Maison et Jardin, Blumen
Einzelhandel.
Demonstraties in Frankrijk, Nederland en België
voor vakmensen en hobbyisten

MARC DERUDDER

Dorothea NV
Krijzeltand 4
B-9051 Gent, Sint-Denijs-Westrem

Tel.: (09) 222 56 17
Fax: (09) 220 48 11

Self-taught
1967, Belgian Champion
1977, Belgian Champion
1978, Vice-European Champion, Rome (I)
1988, World Champion, Lillepiou, Tallinn (Est)
Flower arrangement instructor since 1968

Autodidact
1967, Belgisch Kampioen
1977, Belgisch Kampioen
1978, Vice-Europees Kampioen, Rome (I)
1988, Wereldkampioen, Lillepiou, Tallinn (Est.)
Docent bloemschikken sinds 1968

RITA GIJBELS

Rita Gijbels
Biezenstraat 46
B-2260 Westerlo

Tel.: (014) 54 49 56
Fax: (014) 54 49 56

Training:
Academy of Drawing and Painting
Professional Training in Vught (NL)
Master's course in Vught (NL)
1991, Professional Training Diploma, Vught
1993, Accredited Floral Artist
Instructor at KVLT, Geel
Demonstrations and lessons for professionals
and hobbyists
Floral decorations, large and small
Published freelance work

Opleiding:
Didactische opleiding Academie Tekenen
en Schilderen
Vakopleiding in Vught (NL)
Meesteropleiding in Vught (NL)
1991, Diploma vakopleiding Vught
1993, Certificaat Erkend Bloemsierkunstenaar
Lesgeefster aan de Plantaardige Leergangen
aan de KVLT te Geel
Demonstraties en lessen voor vakmensen
en hobbyisten
Plantaardige versieringen, groot en klein
Publicaties van freelance werk

Geert Pattyn
Stokstraat 8
B-8940 Geluwe

Tel.: (056) 51 20 05
Fax: (056) 51 20 05

Training:
Horticulture A2, Klein Seminarie, Roeselare
Flower Arrangement, Technical College, Melle
Provincial Champion, East/West Flanders (2x)
Vice-Champion of Belgium (2x)
Demonstrations in Belgium and abroad
Leader of international workshops

Opleiding:
Tuinbouw A2, Klein Seminarie, Roeselare
Bloembinden en -schikken, RLTO, Melle
Kampioen der beide Vlaanderen (2x)
Vice-kampioen van België (2x)
Demonstraties in binnen- en buitenland
Leider van internationale workshops

Rausin s.p.r.l.
6-10, place J. Willem
B-4032 Liège

Tél.:(04) 365 28 09
      (075) 45 16 25
Fax: (04) 367 78 32

Training: Horticulture, Liège
Imov, Ghent
Placement A. & J. Toebaert, Ghent
Placement J.L. Lurdes, France
1981, Coupe de Belgique
1986, Coupe de Belgique
1986, European Championship, Valencia (E)
1989, World Championship, Tokyo (J)
Demonstrations in Belgium and abroad
Stand arranger (international exhibitions)
Floral decorations at the Château de Modave
Japanese marriages at the Château de Modave
1993, Christmas at the Château de Modave
1994, festival at the Château de Modave
1995, Christmas concert at the Château
de Modave
Floral decoration for TV broadcasts
Ensembles for flower arrangement magazines

Formation: Horticulture, Liège
Imov, Gent
Stage A. & J. Toebaert, Gent
Stage J.L. Lurdes, France
1981, Coupe de Belgique
1986, Coupe de Belgique
1986, Coupe d'Europe, Valencia (E)
1989, Coupe du Monde, Tokyo (J)
Démonstrations en Belgique et à l'étranger
Arrangeur de stands (expositions internationales)
Responsable des décorations fleurs au château
de Modave
Mariages japonais au Château de Modave
1993, Noël au château de Modave
1994, les fêtes au château de Modave
1995, concert de Noël au château de Modave
Décors émissions T.V.
Décors revues et mensuels de décoration

Cleome
Stationsstraat 63
B-9950 Waarschoot

Vanaf febr. 1997:
D'Alcantaralaan 120
B-9971 Lembeke

Tel.: (09) 378 08 78
Fax: (09) 378 23 58

Training: Painting, ceramics and sculpture at the
Stedelijke Academie voor Schone Kunsten, Eeklo
Florist's training, Imov, Ghent
1988-1995, Instructor at Floradmie, St.-Truiden
Instructor at Imov, Afsnee
Guest instructor at training colleges
Stand dressing
Demonstrations in Belgium and abroad
Theme courses for professionals
Atmospheric flower arrangement for hobbyists

Opleiding: schilderkunst, ceramiek en beeld-
houwkunst aan de Stedelijke Academie voor
Schone Kunsten te Eeklo
Opleiding O.H. Florist, Imov, Gent
1988-1995, Lesgever Floradmie, St.-Truiden
Lesgever Imov, Afsnee
Gastdocente in vormingsinstituten
Aankleding van stands
Demonstraties in binnen- en buitenland
Themacursussen voor vakmensen
Sfeerbloemschikken voor hobbyisten

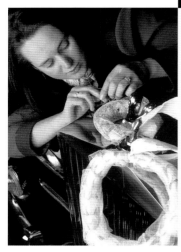

NATHALIE VANDEPUTTE

Cloosterhof
Kasteelstraat 142
B-8700 Tielt

Tel: (051) 40 15 73

Foreign references:
l'Huilier, Place Vendôme, Paris (F)
Otto Blumen, Cheliusstraße 15, Manheim (D)
1985-86, Apprenticeship
1991, Florademie course
Seven prize-winning entries in the Kristal flower
contest ('89, '91, '92, '93, '94, '95 and '96)

Buitenlandse referenties:
l'Huilier, Place Vendôme, Parijs (F)
Otto Blumen, Cheliusstraße 15, Manheim (D)
1985-86, Leercontractopleiding
1991, Florademiecursus
Zeven met een prijs bekroonde deelnames aan
de wedstrijd Kristal, een feest voor bloemen
('89, '91, '92, '93, '94, '95 en '96)

CARL VANDERMOERE

De Vier Seizoenen
Lange Rei 65
B-8000 Brugge

Tel.: (050) 34 61 14
Fax: (050) 34 61 14

Training:
HILT, Melle
Various specialist
flower arranger's courses

Opleiding:
HILT, Melle
Verschillende specialiteitsjaren
bloemsierkunst

KATRIEN VANDIERENDONCK

In geuren en kleuren
Antwerpse Heirweg 52
B-8340 Sijsele-Damme

Tel.: (050) 37 25 41
     (075) 64 20 91

Training:
HRIT Melle,
Flower arrangement department

Opleiding:
HRIT Melle,
Afdeling Bloemsierkunst

FRANÇOISE VANDONINCK

Florybel
Grand-Place 68
B-7850 Enghien

Tel.: (02) 395 69 77
Fax: (02) 395 81 83

Training:
Imov, Ghent
Theme courses, Vught (NL)
One-year experimental course (Aluvium)
with Daniel Ost
Placement in Germany
1991, Winner of Prix Roi Baudoin,
Château d'Enghien
1995, Provincial champion, Hainaut
1995, Participated in the Belgian championship
Worked with Daniel Ost on the azalia campaign
for Hong Kong and Genoa (I)
Instructor for first and second florist's business
course at INFAC, Brussels
Demonstrator at companies
Church decorations for the UFB's book
on weddings

Formation:
Imov, Gent
Themacursussen, Vught (NL)
Un an Aluvium (cours expérimental)
avec Daniel Ost
Stage en Allemagne
1991, Premier Prix Roi Baudoin,
Château d'Enghien
1995, Championne du Hainaut
1995, Participation au Championnat de
Belgique
Participation au travail avec Daniel Ost pour
la propagande de l'azalée à Hong Kong et
à Genova (I)
Professeur de 1ière et 2ième patronnat
à INFAC, Bruxelles
Démonstratrice pour certaine occasion
pour des firmes
Réalisations de garniture d'église pour le livre
de l'UFB pour le mariage

FREDERIEK VAN PAMEL

Bloembinder, Florale Vormgeving Frederiek Van Pamel
Geldmuntstraat 13
B-8000 Brugge

Tel.: (075) 81 23 67
Fax: (050) 33 00 94

Training:
Kortrijk Horticultural College: flower arrangement
Business course at Afsnee
Primary Flower Arrangement course in Vught (NL)
Secondary Flower Arrangement course in
Vught (NL)
Theme courses in Vught (NL)
Freelance student with:
Geert Pattyn (B)
Wolterinck Bloemen (NL)
Menno Kroon (NL)
Tage Andersen (DK)
Assistant to Tage Andersen during exhibition
at Bad Essen (D) and demonstration in
Moscow (RUS)
Demonstrations and courses

Opleiding:
Bloemsierkunst aan de Tuinbouwschool
te Kortrijk
Ondernemersopleiding te Afsnee
Primaire opleiding Bloemschikken te Vught (NL)
Secundaire opleiding Bloemschikken te
Vught (NL)
Themacursussen te Vught (NL)
Freelance student bij:
Geert Pattyn (B)
Wolterinck Bloemen (NL)
Menno Kroon (NL)
Tage Andersen (DK)
Assistent van Tage Andersen
tijdens een expositie te Bad Essen (D)
en een demonstratie te Moskou (RUS)
Demonstraties en cursussen.

Photography / Fotografie / Photographie
Bart Van Leuven, Gent
en
Veerle Derudder, Gent (pp. 58-69)
Bart Descheemaeker, Brugge (pp. 46-57; 194-195)
Norbert Maes, Ruiselede (p. 119)

Author / Auteur / Auteur
Marc Derudder

Final editing / Eindredactie / Rédaction définitive
Karel Puype

Translation / Vertaling / Traduction
TxT-IBIS, Schoten
Ted Alkins, Bertem

Photogravure & Layout / Fotogravure & Lay-out / Photogravure & Mise en page
Humus / Graphic Group Van Damme, Brugge

Printed by / Druk / Impression
Designdruk / Graphic Group Van Damme, Brugge

Binding / Bindwerk / Reliure
Scheerders Van Kerchove, Sint-Niklaas

Published by / Een uitgave van / Edité par
Stichting Kunstboek bvba
Blankenbergse Steenweg 14
B-8000 Brugge
Tel.: 32 50 31 23 52
Fax: 32 50 31 31 73

ISBN: 90-74377-48-3
D/1996/6407/14
NUGI: 911